HENRI HELYNT

Addasiad Siân Lewis

Lluniau gan Tony Ross

Cyhoeddwyd am y tro cyntaf ym Mhrydain yn 1994
gan Orion Children's Books
adran o The Orion Publishing Group Ltd
        Orion House
        5 Upper St Martin's Lane
        London WC2H 9EA
dan y teitl *Horrid Henry*.

Cyhoeddwyd gan Y Ganolfan Astudiaethau Addysg,
Aberystwyth (www.caa.aber.ac.uk).

Noddwyd gan Lywodraeth Cynulliad Cymru.

ISBN 1 84521 122 7

Golygwyd gan Delyth Ifan
Dyluniwyd gan Richard Huw Pritchard
Argraffwyd gan Y Lolfa.

CYNNWYS

1. Diwrnod Angylaidd Henri Helynt   5

2. Dosbarth Dawns Henri Helynt   25

3. Henri Helynt a Bethan Bigog   47

4. Gwyliau Henri Helynt   67

1

DIWRNOD ANGYLAIDD HENRI HELYNT

Gwalch drwg oedd Henri.

Roedd pawb yn dweud hynny, hyd yn oed Mam.

Roedd Henri yn taflu bwyd, roedd Henri yn tynnu, roedd Henri yn gwthio a phwnio a phinsio. Roedd hyd yn oed ei dedi tegan yn trio dianc o'i ffordd.

Roedd ei rieni'n torri'u calonnau.

"Be wnawn ni â'r gwalch drwg?" ochneidiai Mam.

"Sut cafodd dau berson hyfryd fel ni fachgen mor ofnadwy?" ochneidiai Dad.

Wrth fynd i'r ysgol roedd Mam a Dad yn cerdded y tu ôl i Henri Helynt ac yn esgus mai mab i rywun arall oedd e.

Roedd plant yn pwyntio at Henri ac yn sibrwd wrth eu rhieni, "'Co Henri Helynt."

"Dyna'r bachgen daflodd fy nghôt i i'r mwd."

"Dyna'r bachgen wasgodd chwilen Bili'n fflat."

"Dyna'r bachgen…." Meddylia am rywbeth erchyll a'i roi yn y bylchau.

Bydd Henri wedi'i wneud e,
yn siŵr i ti.

Roedd gan Henri
Helynt frawd iau. Ei enw
oedd Alun Angel.

Roedd Alun Angel yn
dweud "Os gwelwch yn
dda" a "Diolch yn
fawr" bob amser.
Roedd Alun

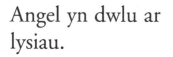

Angel yn dwlu ar
lysiau.

Roedd Alun
Angel bob amser yn
defnyddio macyn
poced a doedd e byth,
byth yn pigo'i drwyn.

"Pam na alli di fod yn angel fel Alun?" meddai mam Henri bob dydd.

Fel arfer roedd Henri yn cau ei glustiau ac yn dal ati i doddi creons Alun ar y gwresogydd.

Ond dechreuodd Henri Helynt feddwl.

"Beth petawn *i*'n angel bach?" meddyliodd Henri. "Beth ddigwyddai wedyn?"

Pan gododd Henri fore drannoeth, wnaeth e ddim deffro'i frawd drwy arllwys dŵr ar ei ben.

Wnaeth Alun ddim sgrechian.

Felly wnaeth Mam a Dad ddim deffro mewn pryd i fynd â Henri ac Alun i'r Clwb Crefftau.

Roedd Henri wrth ei fodd.

Roedd Alun yn drist. Doedd e ddim yn hoffi cyrraedd yn hwyr.

Ond am ei fod e'n angel, wnaeth Alun ddim cwyno na swnian.

Ar y ffordd i'r clwb wnaeth Henri ddim hawlio'r sedd flaen na dadlau ag Alun. Wnaeth e ddim pinsio Alun a wnaeth e ddim gwthio Alun.

Gartre, pan aeth Alun Angel i wneud castell, wnaeth Henri mo'i ddifetha. Na, fe eisteddodd Henri ar y soffa a darllen llyfr.

Rhedodd Mam a Dad i mewn i'r stafell.

"Mae'n dawel iawn 'ma," meddai
Mam. "Wyt ti'n fachgen drwg, Henri?"

"Nac ydw," meddai Henri.

"Alun, ydy Henri yn difetha dy
gastell di?"

Roedd Alun eisiau dweud "ydy".
Ond celwydd fyddai hynny.

"Na," meddai Alun.

Doedd e ddim yn deall beth oedd yn
bod ar Henri.

"Beth wyt ti'n wneud, Henri?"
gofynnodd Dad.

"Darllen stori ardderchog am lygod bach clyfar," meddai Henri.

Dyna'r tro cynta erioed i Dad weld Henri yn darllen llyfr. Ysgydwodd e'r llyfr i weld a oedd comic yn cuddio y tu mewn.

Doedd 'na ddim comic. Roedd Henri yn darllen llyfr go iawn.

"Hmmmmmm," meddai Dad.

Roedd hi bron yn amser swper. Roedd eisiau bwyd ar Henri, felly allan ag e i'r gegin i weld beth oedd Dad yn ei baratoi.

Ond yn lle gweiddi, "Dw i'n llwgu! Dere â bwyd i fi!" dwedodd Henri, "Dad, rwyt ti wedi blino. Ga i helpu i baratoi swper?"

"Stopia hi, Henri," meddai Dad, gan ddal ati i arllwys y pys i'r dŵr berwedig. Yna fe safodd yn stond.

"Beth ddwedest ti, Henri?" gofynnodd Dad.

"Ga *i* helpu, Dad?" meddai Alun Angel.

"Gofynnes i a wyt ti eisiau help," meddai Henri.

"Fi ofynnodd gynta," meddai Alun.

"Bydd Henri yn gwneud llanast," meddai Dad. "Wnei di blicio'r moron i fi, Alun? Dw i'n mynd i eistedd i lawr am funud."

"Wrth gwrs," meddai Alun Angel.

Golchodd Alun ei ddwylo glân, glân.

Gwisgodd Alun ei ffedog lân, lân.

Torchodd Alun ei lewys glân, glân.

Arhosodd Alun i Henri gipio'r pliciwr o'i law.

Ond, yn lle cipio, fe aeth Henri i osod y bwrdd.

Daeth Mam i mewn i'r gegin.

"Mmm! Arogl hyfryd," meddai.

"Diolch am osod y bwrdd, Alun annwyl. Rwyt ti'n angel."

Ddwedodd Alun ddim gair.

"Fi osododd y bwrdd, Mam," meddai Henri.

Syllodd Mam yn syn.

"Ti?" meddai Mam.

"Fi," meddai Henri.

"Pam?" gofynnodd Mam.

Gwenodd Henri.

"I'ch helpu chi," meddai.

"Rwyt ti wedi gwneud rhywbeth drwg iawn, yn dwyt, Henri?" meddai Dad.

"Na," meddai Henri, gyda gwên fach annwyl.

"Fe osoda i'r bwrdd fory," meddai Alun Angel.

"Diolch yn fawr, cariad," meddai Mam.

"Bwyd yn barod," meddai Dad.

Eisteddodd y teulu wrth y bwrdd.

O flaen pob un roedd plataid o sbageti, peli cig, pys a moron.

Bwytodd Henri ei swper â'i gyllell a fforc a llwy.

Wnaeth e ddim taflu pys at Alun na sugno'n swnllyd.

Wnaeth e ddim cnoi â'i geg ar agor ac fe eisteddodd yn syth.

"Eistedda yn syth, Henri," meddai Dad.

"Dw i yn eistedd yn syth," meddai Henri.

Cododd Dad ei ben. Edrychodd yn syn.

"Wyt, wir," meddai.

Allai Alun Angel ddim bwyta o gwbl. Doedd Henri ddim yn taflu pys ato. Beth oedd yn bod?

Yn ara bach estynnodd Alun am bysen.

Heb i neb ei weld, fe ffliciodd y
bysen at Henri.

"Aw," meddai Henri.

"Paid â bod yn gas, Henri," meddai
Mam.

Cododd Henri lond dwrn o bys. Fe
gofiodd ei fod yn angel ac fe stopiodd.

Gwenodd Alun ac aros. Ond
ddisgynnodd dim un bysen ar ei ben.

Doedd Alun Angel ddim yn deall.
Ble oedd y droed oedd yn arfer ei gicio
o dan y bwrdd?

Yn ara bach, estynnodd Alun ei droed a chicio Henri.

"AW," meddai Henri.

"Paid â bod yn gas, Henri," meddai Dad.

"Ond fe…" meddai Henri, a stopio.

Roedd troed Henri eisiau cicio Alun o un pen y tŷ i'r llall. Ond cofiodd Henri ei fod yn angel a daliodd ati i fwyta.

"Rwyt ti'n dawel iawn heno, Henri," meddai Dad.

"Achos dw i'n mwynhau'r swper hyfryd," meddai Henri.

"Henri, ble mae dy bys a dy foron di?" gofynnodd Mam.

"Dw i wedi'u bwyta nhw," meddai Henri. "Roedden nhw'n flasus iawn."

Edrychodd Mam ar y llawr. Edrychodd o dan gadair Henri.

Edrychodd o dan ei blât.

"Rwyt ti wedi bwyta'r pys a'r moron?" meddai Mam yn araf. Yna fe deimlodd hi dalcen Henri.

"Wyt ti'n teimlo'n iawn, Henri?"

"Y-hy," meddai Henri Helynt. "Dw i'n iawn. Diolch am ofyn," ychwanegodd yn frysiog.

Edrychodd Mam a Dad ar ei gilydd. Beth oedd yn bod?

Yna fe edrychon nhw ar Henri.

"Henri, dere 'ma i ti gael cusan fawr," meddai Mam. "Rwyt ti'n fachgen arbennig. Hoffet ti ddarn o gacen ffyj?"

Torrodd Alun ar ei thraws.

"Dim cacen i fi, diolch," meddai Alun. "Mae'n well gen i gael rhagor o lysiau."

Gadawodd Henri i Mam roi cusan iddo. Yyyyych, roedd hi'n anodd bod yn angel.

Gwenodd yn annwyl ar Alun.

"Hoffwn i ddarn o gacen os gwelwch

yn dda," meddai Henri.

Allai Alun Angel ddim dioddef rhagor. Cododd ei blât a'i anelu at Henri.

Yna fe daflodd Alun y sbageti. Plygodd Henri ei ben.

SBLAT!

Glaniodd y sbageti ar ben Mam. Llifodd sôs tomato i lawr ei gwddw ac i lawr ei siwmper felen flewog, newydd sbon.

"ALUN!!!!!" gwaeddodd Mam a Dad.

"Y GWALCH DRWG!" gwaeddodd Mam.

"CER I DY STAFELL!!" gwaeddodd Dad.

Dechreuodd Alun Angel sgrechian crio a rhedeg i'w stafell.

Sychodd Mam y sbageti oddi ar ei hwyneb. Roedd hi'n edrych yn ddoniol iawn.

Gwnaeth Henri ei orau glas i beidio â chwerthin. Gwasgodd ei wefusau'n dynn.

Ond allai e ddim dal. Yn anffodus - ac mae'n ddrwg iawn gen i ddweud hyn - fe roddodd e wich fach.

"Dyw e ddim yn ddoniol!" gwaeddodd Dad.

"Cer i dy stafell!" gwaeddodd Mam.

Ond doedd dim ots gan Henri.

Roedd bod yn angel yn hwyl! Pwy feddyliai?

2

DOSBARTH DAWNS HENRI HELYNT

Stamp Stamp Stamp Stamp Stamp Stamp Stamp.

Roedd Henri Helynt yn dawnsio fel eliffant.

Tap Tap Tap Tap Tap Tap Tap Tap.

Roedd Alun Angel yn dawnsio fel diferyn o law.

Roedd Alun yn ymarfer dawns y glaw ar gyfer y sioe ddawns.

Roedd Henri i fod ymarfer dawns y glaw hefyd.

Ond doedd Henri ddim eisiau bod yn ddiferyn o law. Doedd e ddim eisiau bod yn domato, ffeuen, na banana chwaith.

Stamp Stamp Stamp, meddai esgidiau mawr Henri.

Tap Tap Tap, meddai esgidiau tap Alun.

"Rwyt ti'n gwneud llanast, Henri," meddai Alun.

"Nac ydw i," meddai Henri.

"Wyt 'te," meddai Alun. "Diferion glaw ydyn ni."

Stamp Stamp Stamp meddai esgidiau Henri. Roedd e'n eliffant mawr yn rhuthro drwy'r jyngl gan sathru ar bawb.

"Alla i ddim canolbwyntio o achos dy stampio di," meddai Alun. "Rhaid i fi ymarfer fy solo."

"Dim ots gen i!" sgrechiodd Henri Helynt. "Dw i'n casáu dawnsio, dw i'n casáu'r dosbarth dawns a dw i'n dy gasáu di'n fwy na dim!"

Doedd hyn ddim yn hollol wir.
Roedd Henri Helynt yn hoffi dawnsio.
Roedd Henri yn dawnsio'n ei stafell
wely. Roedd Henri yn dawnsio lan a
lawr y grisiau. Roedd Henri yn dawnsio
ar y soffa newydd ac ar fwrdd y gegin.

Dawnsio gyda phlant eraill – dyna
beth oedd Henri yn ei gasáu.

"Alla i fynd i carate yn lle?" gofynnai
Henri bob dydd Sadwrn.

"Na," meddai Mam. "Rhy ffyrnig."

"Jiwdo?" meddai Henri.

"N-A. Na," meddai Dad.

Felly bob dydd Sadwrn am chwarter i ddeg byddai Dad yn gyrru Henri ac Alun i Stiwdio Ddawns Miss Ann Ifyr Twtw.

Roedd Miss Ann Ifyr
Twtw'n denau ac
esgyrnog. Roedd ganddi
wallt hir fel edau lwyd.
Roedd ei thrwyn yn
bigog. Roedd ei
phenelinoedd yn
bigfain. Roedd ei
phennau-gliniau fel
dau fwlyn drws.
Doedd neb erioed
wedi'i gweld hi'n gwenu.
Pam hynny?
Efallai bod Ann Ifyr
Twtw'n casáu dysgu.
Roedd Ann Ifyr Twtw'n
casáu sŵn.
Roedd Ann Ifyr
Twtw'n casáu
plant.
Yn fwy na dim roedd Ann Ifyr

Twtw'n casáu Henri Helynt.

Doedd hynny ddim yn syndod. Pan oedd Miss Twtw'n gweiddi, "Blant, codwch eich coesau chwith," roedd un deg un goes yn codi. Roedd un goes dde'n disgyn yn araf.

Pan oedd Miss Twtw'n sgrechian, "Sawdl, bawd, sawdl, bawd," roedd un deg un droed yn tapio'n ddel. Roedd un droed swnllyd yn stampio bawd, sawdl, bawd, sawdl.

Pan oedd Miss Twtw'n rhuo, "Blant, sgipiwch i'r dde," roedd un deg un person yn troi i'r dde. Roedd un person yn stampio i'r chwith.

Wrth gwrs, doedd neb eisiau dawnsio gyda Henri. Nac yn agos i Henri. Yn anffodus roedd hynny'n dal

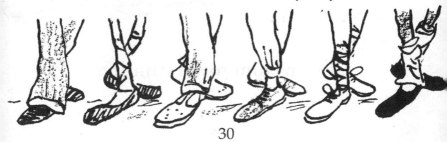

yn wir y bore hwnnw.

"Miss Twtw, mae Henri yn sathru ar fy nhraed i," meddai Norman Nerfus.

"Miss Twtw, mae Henri yn cicio 'nghoesau i,' meddai Donna Ddiog.

"Miss Twtw, mae Henri yn fy ngwthio i," meddai Falmai Falch.

"HENRI!" sgrechiodd Miss Twtw.

"Y?" meddai Henri.

"Dw i'n berson addfwyn iawn, ond rwyt ti'n fy ngwylltio i," hisiodd Miss Twtw. "Os ca i ragor o ddwli, fe fydd hi ar ben arnat ti."

"Beth fydd yn digwydd?" gofynnodd Henri Helynt yn eiddgar.

Safodd Miss Twtw'n syth iawn. Cododd un bys hir, esgyrnog a'i lusgo'n araf ar draws ei gwddw.

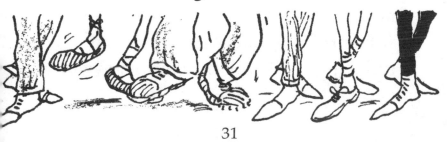

Penderfynodd Henri achub ei groen am y tro. Safodd i'r naill ochr, rhincian ei ddannedd ac esgus bod yn grocodeil mawr oedd yn mynd i lyncu Miss Twtw.

"Dyma'r rihyrsal ola cyn y sioe," arthiodd Miss Twtw. "Rhaid i bopeth fod yn berffaith."

Syllodd un deg un o wynebau ar Miss Twtw. Gwgodd un wyneb yn gas ar y llawr.

"Tomatos a ffa i du blaen y llwyfan," gorchmynnodd Miss Twtw.

"Pan fydd Miss Clec yn chwarae'r miwsig, pawb i estyn eu breichiau i'r awyr a chyfarch y bore gyda chusan. Diferion glaw, sefwch yn y cefn yn ymyl y dail mawr gwyrdd ac arhoswch nes i'r ffa ddod o hyd i'r bananas swyn. A Henri," poerodd Miss Twtw gan rythu'n gas, "TRIA ddawnsio'n gywir."

"Pawb i'w lle. Miss Clec, y miwsig agoriadol os gwelwch yn dda!" gwaeddodd Miss Twtw.

Bang bang bang, chwaraeodd Miss Clec.

Dechreuodd y tomatos wau drwy'i gilydd a chwyrlïo.

Dechreuodd y ffa chwil-droi.

Dechreuodd y bananas bwyntio blaenau'u traed ac ysgwyd.

Dechreuodd y diferion glaw bitran-patran.

Ar wahân i un.

Ysgydwodd Henri ei freichiau'n wyllt.

Rhedodd rownd y stafell a tharo'n erbyn y ffa.

"HENRI!" sgrechiodd Miss Twtw.

"Y?" sgyrnygodd Henri.

"Eistedda yn y gornel!"

Roedd Henri wrth ei fodd.

Eisteddodd yn y gornel a thynnu wynebau cas a dwl tra oedd Alun yn dawnsio'i ddawns unigol.

Tap tap tap tap tap tap tap. Tapa tapa tapa tapa tap tap tap. Tapa tip tapa tip tapa tapa tapa tip.

"O'n i'n berffaith, Miss Twtw?" gofynnodd Alun.

Ochneidiodd Miss Twtw. "Roeddet ti'n angel, fel arfer," meddai, ac fe grynodd cornel ei cheg ychydig bach, bach. I Miss Twtw, dyna beth oedd gwenu.

Yna fe welodd hi Henri yn eistedd yn swp ar gadair. Ar unwaith dyma'i cheg yn troi tuag i lawr unwaith eto.

Llusgodd Miss Twtw Henri oddi ar
y gadair. Fe roddodd hwb i Henri i
gefn y llwyfan y tu ôl i'r diferion glaw
eraill, yna'i wthio y tu ôl i ddeilen
fawr werdd.

"Aros fan'na!" gwaeddodd Miss
Twtw.

"Ond fydd neb yn fy ngweld i,"
meddai Henri.

"Yn union," meddai Miss Twtw.

Roedd hi'n noson y sioe.

Roedd y llenni'n barod i godi.

Roedd y plant yn sefyll yn dawel ar
y llwyfan.

Roedd Alun Angel mor gyffrous,
nes ei fod yn teimlo fel sboncio lan a
lawr. Ond wnaeth e ddim, wrth gwrs.
Fe safodd yn hollol lonydd.

Doedd Henri Helynt ddim yn

teimlo'n gyffrous.

Doedd e ddim eisiau bod yn ddiferyn o law.

Ac yn bendant doedd e ddim eisiau bod yn ddiferyn o law y tu ôl i ddeilen fawr werdd.

Herciodd Miss Clec draw at y piano. Disgynnodd ei dwylo'n glep ar y nodau.

Cododd y llenni.

Roedd mam a thad Henri yn y gynulleidfa gyda'r rhieni eraill. Roedden nhw'n eistedd yn y cefn fel arfer, rhag ofn y byddai'n rhaid iddyn nhw ddianc.

Gwenon nhw a chwifio'u dwylo ar Alun a oedd yn sefyll yn falch yn y rhes flaen.

"Wyt ti'n gallu gweld Henri?" sibrydodd mam Henri.

Syllodd tad Henri ar y llwyfan a'i lygaid yn fain.

Roedd cwlffyn o wallt coch yn chwifio y tu ôl i'r ddeilen werdd.

"Dw i'n meddwl ei fod e y tu ôl i'r ddeilen," meddai Dad yn araf.

"Tybed pam mae Henri yn cuddio?" meddai Mam. "Dyw e ddim yn swil fel arfer."

"Hmmmmm," meddai Dad.

"Shhh!" hisiodd y rhieni yn eu hymyl.

Gwyliodd Henri y tomatos a'r ffa'n chwilio am y bananas ar flaenau'u traed.

Dw i ddim yn mynd i aros fan hyn, meddyliodd, a dechrau gwthio'i ffordd drwy'r diferion glaw.

"Paid â gwthio, Henri," hisiodd Donna Ddiog.

Gwthiodd Henri yn galetach, ac yna fe ddawnsiodd gam neu ddau gyda'r diferion eraill.

Estynnodd Miss Twtw fraich esgyrnog a llusgo Henri i gefn y llwyfan o'r golwg.

Pwy sy eisiau bod yn ddiferyn o law ta beth, meddyliodd Henri. Fe alla i wneud beth bynnag dw i eisiau fan hyn.

Roedd y tomatos
yn gwau drwy'i gilydd
a chwyrlïo.

Roedd y ffa'n chwil-
droi.

Roedd y bananas
yn pwyntio
blaenau'u traed ac yn
ysgwyd.

Roedd y diferion
glaw'n pitran-patran.

Ysgydwodd Henri
ei freichiau ac esgus
bod yn *pterodactyl*
oedd yn mynd i neidio
ar Miss Twtw.

Hedfanodd rownd a
rownd gan fynd yn nes ac
yn nes at ei brae.

Camodd Alun Angel i du blaen y llwyfan a dechrau dawnsio ar ei ben ei hun.

Tap Tap Tap Tap Tap Tap – CLEC!

Cwympodd deilen fawr werdd ar ben y diferion glaw a thaflu pob un i'r llawr.

Disgynnodd y diferion glaw ar ben y tomatos.

Trawodd y tomatos yn erbyn y ffa.

Clatsiodd y ffa yn erbyn y bananas.

Trodd Alun Angel ei ben i weld beth oedd yn digwydd, dawnsiodd dros ymyl y llwyfan a glanio yn y rhes flaen.

Llewygodd Miss Twtw.

Yr unig berson oedd yn dal ar ei draed ar y llwyfan oedd Henri.

Stamp Stamp Stamp Stamp Stamp Stamp Stamp.

Dawnsiodd Henri ei ddawns eliffant.

Bwm Bwm Bwm Bwm Bwm Bwm Bwm.

Dawnsiodd Henri ei ddawns byffalo gwyllt.

Triodd Alun ddringo'n ôl i'r llwyfan.

Disgynnodd y llenni.

Wedi tawelwch hir, dechreuodd rhieni Henri glapio.

Nhw oedd yr unig rai, felly fe stopion nhw.

Rhedodd y rhieni eraill at Miss Twtw a dechrau gweiddi.

"Pam oedd y gwalch drwg 'na'n cael dawns hir ar ei ben ei hun, tra oedd Donna fach yn gwneud dim ond gorwedd ar lawr?" gwaeddodd mam Donna.

"Mae Norman ni'n well dawnsiwr o lawer na'r gwalch 'na," gwaeddodd mam Norman. "Pam oedd e'n cael dawnsio solo?"

"Wyddwn i ddim eich bod chi'n dysgu dawns fodern, Miss Twtw," snwffiodd mam Falmai. "Dere, Falmai," meddai gan stelcian allan o'r stafell.

"HENRI!" sgrechiodd Miss Twtw. "Allan â ti a phaid â dod yn ôl."

"Hwrê!" gwaeddodd Henri. Carate o'r diwedd ddydd Sadwrn nesa.

3

HENRI HELYNT
A
BETHAN BIGOG

"Fi yw Barti Ddu!"

"Na, fi yw Barti Ddu!"

"Fi yw Barti Ddu," meddai Henri Helynt.

"Fi yw Barti Ddu," meddai Bethan Bigog.

Edrychodd y ddau'n gas ar ei gilydd.

"Fi biau'r het môr-leidr," meddai Bethan Bigog.

Roedd Bethan Bigog yn byw drws nesa. Doedd hi ddim yn hoffi Henri Helynt, a doedd Henri Helynt ddim yn ei hoffi hi. Ond pan oedd Huw

Haerllug yn brysur,
Glenda Glyfar yn y
ffliw, a Sara Sur wedi
cweryla â hi, byddai
Bethan Bigog yn
neidio dros y wal i
chwarae gyda Henri.

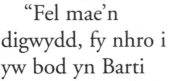

"Fel mae'n
digwydd, fy nhro i
yw bod yn Barti
Ddu," meddai Alun Angel. "Dw i
wedi bod yn garcharor ers amser."

"Bydd dawel, garcharor!" meddai
Henri.

"Cerdda'r styllen, garcharor!"
meddai Bethan.

"Ond dw i wedi cerdded y styllen
un deg a phedair o weithiau'n barod,"
meddai Alun. "Ga i fod yn Barti nawr,
os gwelwch yn dda?"

"Na, myn brain!" meddai Bethan

Bigog. "Nawr cer o'm ffordd i, y mwydyn!" A dyma hi'n swagro ar draws y dec gan chwifio'r bachyn ar ei llaw a dal yn dynn yn ei chleddyf a'i dagr.

Roedd gan Bethan fachyn llaw, clytiau llygad, baneri penglog ac esgyrn, cleddyfau hir, cleddyfau cam a sawl dagr.

Dim ond ffon oedd gan Henri. Dyna pam oedd e'n chwarae gyda Bethan.

Ond roedd raid i Henri wneud
pethau diflas iawn, os oedd e am gael
chwarae gyda chleddyfau Bethan.
Weithiau roedd e'n gorfod eistedd i lawr
ac aros, tra oedd Bethan yn darllen llyfr.
Weithiau roedd e'n gorfod chwarae
'Mami a Dadi' gyda hi. Yn waeth byth
(paid â dweud gair wrth neb) roedd e'n
gorfod bod yn fabi weithiau.

Doedd Henri ddim yn gwybod beth
fyddai Bethan yn ei wneud nesa.

Pan roddodd e gorryn ar ei braich, fe
chwarddodd Bethan.

Pan dynnodd e 'i gwallt hi, tynnodd
Bethan ei wallt e'n ôl yn galetach.

Pan fyddai Henri yn sgrechian,
byddai Bethan yn sgrechian yn uwch.
Neu fe fyddai hi'n canu. Neu fe
fyddai'n esgus ei bod hi'n methu
clywed.

Weithiau roedd Bethan yn hwyl.

Ond fel arfer roedd hi'n hen greadures bwdlyd.

"Dw i eisiau bod yn Barti Ddu, ncu dw i ddim yn chwarae," meddai Henri.

Meddyliodd Bethan am funud.

"Gallwn ni'n dau fod yn Barti Ddu," meddai.

"Ond dim ond un het sy gyda ni," meddai Henri.

"Dw i erioed wedi gwisgo'r het," meddai Alun.

"BYDD DAWEL, garcharor!" gwaeddodd Bethan. "Cer ag e i'r carchar, Mistar Mêt."

"Na," meddai Henri.

"Fe gei di wobr am wneud, Mistar Mêt," meddai Barti Ddu, gan chwifio'i bachyn.

Llusgodd Mistar Mêt y carcharor i'r gell.

"Os byddi di'n dawel iawn, garcharor, fe gei di dy ryddhau. Wedyn fe alli di fod yn fôr-leidr hefyd," meddai Barti Ddu.

"Nawr dere â'r het i fi," meddai Mistar Mêt.

Estynnodd Barti'r het yn araf.

"Fi yw Barti nawr a ti yw Mistar Mêt," gwaeddodd Henri. "Rhaid i chi i gyd gerdded y styllen!"

"Dw i wedi blino chwarae môr-ladron," meddai Bethan. "Dere i chwarae rhywbeth arall."

Roedd Henri o'i go. Un fel'na oedd Bethan Bigog.

"Wel, dw i'n chwarae môr-ladron," meddai Henri.

"Wel, dw i ddim," meddai Bethan. "Dere â'r het a'r bachyn yn ôl i fi."

"Na," meddai Henri.

Agorodd Bethan ei cheg a sgrechian. Roedd Bethan yn gallu dal ati i sgrechian a sgrechian a sgrechian am hydoedd.

Rhoddodd Henri y bachyn a'r het iddi.

Gwenodd Bethan.

"Mae eisiau bwyd arna i," meddai. "Oes gen ti rywbeth blasus?"

Roedd Henri wedi cuddio tri phecyn o greision a saith bisgeden siocled yn ei stafell, ond doedd e ddim yn mynd i'w rhannu nhw â Bethan.

"Galli di gael radis," meddai Henri.

"Beth arall?" meddai Bethan.

"Moron," meddai Henri.

"Beth arall?" meddai Bethan.

"Glop," meddai Henri.

"Beth yw Glop?"

"Rhywbeth arbennig," meddai Henri. "Dim ond fi sy'n gallu'i wneud e."

"Beth sy ynddo fe?" gofynnodd Bethan.

"Dw i ddim yn dweud," meddai Henri.

"Ydy e'n iychi?" meddai Bethan.

"Wrth gwrs ei fod e," meddai Henri.

"Dw i'n gallu gwneud y Glop

mwya iychi yn y byd," meddai
Bethan.

"Paid â bod yn dwp. Does neb yn
gallu gwneud Glop mwy iychi na fi."

"Dw i'n dy herio di i fwyta Glop,"
meddai Bethan.

"Dw i'n dy herio di'n ôl," meddai
Henri. "Fi sy'n mynd gynta."

Safodd Bethan yn syth.

"Iawn," meddai. "I ddechrau rhaid i
fi gael malwod a mwydod."

A dyma hi'n mynd i chwilota o dan
y llwyni.

"Dyma un!" gwaeddodd, gan ddangos malwoden dew.

"Mwydod nesa," meddai Bethan.

Disgynnodd ar ei phedwar a dechrau crafu twll.

"Alli di ddim rhoi pethau o'r tu allan yn y Glop," meddai Henri ar unwaith. "Dim ond pethau o'r gegin."

Edrychodd Bethan ar Henri.

"Ond nid Glop go iawn fydd e wedyn," meddai Bethan.

"Ie!" meddai Henri. "Fel'na mae gwneud Glop yn tŷ *ni*."

Aeth Henri Helynt a Bethan Bigog i mewn i'r gegin lân, loyw. Aeth Henri i nôl dwy lwy bren a phowlen fawr goch.

"Fe ddechreua i," meddai Henri. Cerddodd at y cwpwrdd ac agor y drws led y pen.

"Uwd!" meddai Henri. Ac fe arllwysodd beth o'r uwd i mewn i'r bowlen.

Agorodd Bethan yr oergell ac edrych i mewn. Cydiodd mewn dysgl fach.

"Semolina sleimi!" gwaeddodd Bethan. I mewn i'r bowlen ag e.

"Pasta oer!"

"Letys!"

"Coffi!"

"Iogwrt!"

"Blawd!"

"Finegr!"

"Ffa pob!"

"Mwstard!"

"Jam coch!"

"Caws wedi llwydo!"

"Pupur!"

"Oren wedi pydru!"

"A sôs coch!"

gwaeddodd Henri. Chwistrellodd e'r sôs coch nes bod y botel yn wag.

"Cymysga nawr!" meddai Bethan.

Cydiodd Henri Helynt a Bethan Bigog yn y llwyau â'u dwy law. Yna fe blymion nhw'r llwyau i'r Glop a dechrau troi.

Roedd e'n waith caled, trwm.

Fe droion nhw'n gynt ac yn gynt. Yn wylltach ac yn wylltach.

Roedd Glop ar y nenfwd. Roedd Glop ar y llawr. Roedd Glop ar y cloc a Glop ar y drws. Roedd gwallt Bethan yn blastr o Glop. Ac wyneb Henri hefyd.

Edrychodd Bethan i mewn i'r bowlen. Dyna'r peth mwya iychi welodd hi erioed.

"Mae e'n barod,"meddai.

Cariodd Henri Helynt a Bethan Bigog y Glop at y bwrdd.

Yna fe eisteddon nhw i lawr ac edrych ar y Glop iychi, sleimi, mwdlyd, gludiog, drewllyd, stecslyd, ffiaidd, slwtshlyd, seimllyd, ych-a-fi.

"Iawn," meddai Henri. "Pwy sy'n mynd i fwyta gynta?"

Aeth pobman yn dawel.

Edrychodd Henri ar Bethan.

Edrychodd Bethan ar Henri.

"Fi," meddai Bethan. "Does dim ofn arna i."

Cododd Bethan lond llwy a'i gwthio i'w cheg.

Yna fe lyncodd. Trodd ei hwyneb yn binc ac yn biws ac yn wyrdd.

"Sut flas sy arno fe?" gofynnodd Henri.

"Neis iawn," meddai Bethan, gan drio peidio â thagu.

"Llwyaid arall 'te,"
meddai Henri.

"Dy dro di nawr,"
meddai Bethan.

Eisteddodd Henri
am foment ac edrych ar
y Glop.

"Dyw Mam ddim yn
fodlon i fi fwyta rhwng
prydau," meddai Henri.

"HENRI!" rhuodd Bethan.

Cymerodd Henri lwyaid fach, fach.

"Rhagor!" meddai Bethan.

Cymerodd Henri ychydig bach eto. Roedd lympiau o Glop yn crynu ar y llwy. Roedd e'n edrych fel…. Doedd Henri ddim eisiau meddwl am y peth.

Caeodd ei lygaid a chodi'r llwy at ei geg.

"Mmm, iym," meddai.

"Wnest ti ddim bwyta," meddai Bethan. "Dyw hi ddim yn deg."

Cododd hi lwyaid fawr o Glop a…

Mae'n gas gen i feddwl beth fyddai wedi digwydd nesa, petai rhywun heb dorri ar eu traws.

"Ga i ddod i mewn?" galwodd llais bach o'r tu allan. "Ga i fod yn Barti nawr?"

Roedd Henri Helynt wedi anghofio am Alun Angel.

"Iawn," gwaeddodd Henri.

Daeth Alun at y drws.

"Mae eisiau bwyd arna i," meddai.

"Dere i mewn, Alun," meddai Henri yn annwyl. "Mae dy ginio di ar y bwrdd."

4

GWYLIAU HENRI HELYNT

Roedd Henri Helynt yn casáu gwyliau.

Gwyliau braf, yn ôl Henri, oedd cael eistedd ar y soffa, bwyta creision a gwylio'r teledu.

Yn anffodus, roedd ei rieni fel arfer yn trefnu rhywbeth hollol wahanol.

Unwaith fe aethon nhw ag e i weld cestyll. Ond doedd 'na ddim cestyll go iawn. Doedd dim i'w weld ond pentyrrau o gerrig a waliau wedi torri.

"Byth eto," meddai Henri.

Y flwyddyn ganlynol fe aethon nhw
ag e i weld amgueddfeydd.

"Byth eto," meddai Mam a Dad.

Llynedd fe aethon nhw i lan y môr.

"Mae'r haul yn rhy boeth,"
gwichiodd Henri.

"Mae'r dŵr yn rhy oer," snwffiodd
Henri.

"Mae'r bwyd yn iychi," cwynodd Henri.

"Mae'r gwely'n lympiau i gyd," swniodd Henri.

Eleni roedden nhw wedi penderfynu trio rhywbeth gwahanol.

"Rydyn ni'n mynd i wersylla yn Ffrainc," meddai rhieni Henri.

"Hwrê!" meddai Henri.

"Wyt ti'n hapus, Henri?" meddai Mam. Dyma'r tro cynta erioed i Henri edrych ymlaen at y gwyliau.

"O ydw," meddai Henri. O'r diwedd, o'r diwedd, roedden nhw'n gwneud rhywbeth gwerth chweil.

Roedd Henri wedi clywed Bethan Bigog yn sôn am wersylla. Roedd Bethan yn mynd i wersylla gyda'i theulu. Roedden nhw'n aros mewn pabell fawr gyda gwelyau cyffyrddus, oergell, ffwrn, tŷ bach, cawod, pwll nofio cynnes, disgo, a set deledu enfawr gyda phum deg saith sianel.

"O, waw!" meddai Henri Helynt.

"Bonjour!" meddai Alun Angel.

O'r diwedd daeth y diwrnod mawr.
Aeth Henri Helynt, Alun Angel, Mam
a Dad ar y fferi i Ffrainc.

Doedd Henri ac Alun
erioed wedi bod ar gwch
o'r blaen.

Sbonciodd Henri i
ben y seddau a sboncio i
lawr.

Tynnodd Alun lun
hyfryd.

Aeth y cwch lan a
lawr a lan a lawr.

Rhedodd Henri yn
ôl ac ymlaen ar hyd
yr eiliau.

Gludodd Alun
sticeri yn ei lyfr.

Aeth y cwch lan
a lawr a lan a lawr.

Eisteddodd
Henri ar gadair
droi a chwyrlïo
fel top.

Chwaraeodd
Alun gyda'i
bypedau.

Aeth y cwch
lan a lawr a lan a
lawr.

Wedyn
bwytodd Henri
ac Alun ginio mawr
seimllyd o sosej a sglods yn y caffi.

73

Aeth y cwch lan a lawr, a lan a lawr, a lan a lawr.

Dechreuodd Henri deimlo'n sâl.

Dechreuodd Alun deimlo'n sâl.

Aeth wyneb Henri yn wyrdd.

Aeth wyneb Alun yn wyrdd.

"Dw i'n mynd i daflu i fyny," meddai Henri, ac fe daflodd i fyny dros Mam.

"Dw i'n mynd i – " meddai Alun, ac fe daflodd i fyny dros Dad.

"O na," meddai Mam.

"Dim ots," meddai Dad. "Fe gawn ni'r gwyliau gorau erioed, dw i'n siŵr."

O'r diwedd dyma'r cwch yn cyrraedd Ffrainc.

Ar ôl gyrru a gyrru a gyrru fe gyrhaeddon nhw'r gwersyll.

Doedd Henri erioed wedi breuddwydio am le mor wych. Roedd pob pabell mor fawr â thŷ. Clywodd Henri sŵn hyfryd y teledu'n bloeddio, miwsig yn taranu, a phlant yn sblasio ac yn sgrechian. Roedd yr haul yn tywynnu. Roedd yr awyr yn las.

"Waw, mae e'n ffantastig," meddai Henri.

Ond gyrrodd y car yn ei flaen.

"Stop!" gwaeddodd Henri. "Rwyt ti wedi mynd yn rhy bell."

"Dydyn ni ddim yn aros yn y lle ofnadwy 'na," meddai Dad.

Fe yrron nhw ymlaen.

"Dyma'n gwersyll ni," meddai Dad. "Gwersyll *go iawn*."

Syllodd Henri ar y tir moel, creigiog o dan awyr lwyd.

Roedd tair pabell fach yn ysgwyd yn y gwynt. Roedd 'na un tap. Roedd ychydig o goed. A dim byd arall.

"Mae e'n wych!" meddai Mam.

"Mae e'n wych!" meddai Alun.

"Ond ble mae'r teledu?" meddai Henri.

"Does dim teledu, diolch byth,"

meddai Mam. "Mae llyfrau gyda ni."

"Ond ble mae'r gwelyau?" meddai Henri.

"Does dim gwelyau, diolch byth," meddai Dad. "Mae sachau cysgu gyda ni."

"Ond ble mae'r pwll nofio?" meddai Henri.

"Does dim pwll," meddai Dad. "Fe fyddwn *ni*'n nofio'n yr afon."

"Ble mae'r tŷ bach?" meddai Alun.

Pwyntiodd Dad at babell fach yn y pellter. Roedd tri o bobl yn ciwio y tu allan.

"Yr holl ffordd draw fan'na?"

meddai Alun. "Dw i ddim yn cwyno," ychwanegodd yn frysiog.

Aeth Mam a Dad i ddadbacio'r car. Safodd Henri yn stond a gwgu.

"Pwy sy eisiau helpu i godi'r babell?" gofynnodd Mam.

"Fi!" meddai Dad.

"Fi!" meddai Alun.

Allai Henri ddim credu. "Iych!" meddai. "Ni sy'n gorfod codi'r babell?"

"Wrth gwrs," meddai Mam.

"Dw i ddim yn hoffi'r lle 'ma," meddai Henri. "Dw i eisiau gwersylla yn y lle arall."

"Alli di ddim gwersylla go iawn fan'ny," meddai Dad. "Mae gwelyau ym mhob pabell. A thŷ bach. A chawod. Ac oergell. A ffwrn, a theledu. Iych." Crynodd Dad.

"Iych," meddai Alun.

"Ac mae pabell dwt a chyffyrddus gyda ni fan hyn," meddai Mam. "Dim byd modern – dim ond pegiau pren a pholion."

"Wel, dw i eisiau aros yn y lle arall," meddai Henri.

"Rydyn ni'n aros fan hyn," meddai Dad.

"NA!" sgrechiodd Henri.

"YDYN!" sgrechiodd Dad.

Mae'n ddrwg gen i ddweud, fe gafodd Henri bwl o dymer – y pwl hira, gwaetha, mwya swnllyd, mwya sgrechlyd y galli di ddychmygu.

Oeddet ti'n meddwl y byddai gwalch drwg fel Henri yn mwynhau cysgu ar dir caled

creigiog mewn sach
gysgu laith heb
obennydd?

Wel,
roeddet ti'n
anghywir.

Roedd
Henri yn
hoffi gwely
cyffyrddus.

Roedd Henri yn
hoffi cynfasau glân.

Roedd Henri yn hoffi
bath cynnes.

Roedd Henri yn
hoffi cinio o'r microdon, teledu, a
swn.

Doedd e ddim yn hoffi cawod oer,
awyr iach, a thawelwch.

O'r pellter roedd swn miwsig uchel
a hyfryd yn suo tuag atyn nhw.

"Diolch byth nad ydyn ni'n aros yn y lle erchyll 'na, ontyfe?" meddai Dad.

"Ie wir," meddai Mam.

"Ie wir," meddai Alun Angel.

Trodd Henri yn jac-codi-baw oedd yn malu pebyll ac yn gwasgu gwersyllwyr yn fflat.

"Henri, paid â dyrnu'r babell!" gwaeddodd Dad.

Trodd Henri yn *Tyrannosaurus Rex* llwglyd iawn.

"AW!" sgrechiodd Alun.

"Stopia hi'r gwalch drwg!" gwaeddodd Mam.

Syllodd Mam ar y cymylau duon yn yr awyr.

"Mae'n dod i'r glaw," meddai Mam.

"Paid â phoeni," meddai Dad. "Dyw hi byth yn bwrw glaw pan fydda i'n gwersylla."

"Fe a' i a'r bechgyn i gasglu rhagor o

goed tân," meddai Mam.

"Dw i ddim yn symud," meddai
Henri Helynt.

Tra oedd Dad yn gwneud tân,
chwaraeodd Henri ei fiwsig mor uchel
ag y gallai a stampio'i draed i sŵn
erchyll y Siwpyr-Ffyrnigs.

"Llai o'r sŵn 'na, Henri!" meddai
Dad.

Chymerodd Henri ddim sylw.

"HENRI!" gwaeddodd Dad. "LLAI O'R SŴN 'NA!"

Trodd Henri y bwlyn, a thawelu'r sŵn ychydig bach, bach.

Roedd lleisiau cras y Siwpyr-Ffyrnigs yn dal i daranu dros y gwersyll tawel.

Daeth gwersyllwyr allan o'u pebyll ac ysgwyd eu dyrnau. Diffoddodd Dad y miwsig.

"Oes rhywbeth yn bod, Dad?"

gofynnodd Henri yn ei lais anwylaf.

"Na," meddai Dad.

Daeth Mam ac Alun yn eu holau gyda llond eu breichiau o goed tân.

Dechreuodd fwrw glaw mân.

"Dyma hwyl," meddai Mam gan fflicio mosgito i ffwrdd.

"Ie wir," meddai Dad. Roedd e'n cynhesu tuniau o ffa pob.

Dechreuodd y glaw arllwys i lawr.

Chwythodd y gwynt.

Hisiodd y tân, a diffodd.

"Dim ots," meddai Dad yn llon. "Fe fwytwn ni ffa oer."

Roedd Mam yn chwyrnu.

Roedd Dad yn chwyrnu.

Roedd Alun yn chwyrnu.

Roedd Henri yn troi a throsi. Ond dim ots sut oedd e'n gorwedd yn ei sach laith, roedd e'n dal i deimlo'r cerrig miniog, garw.

Uwch ei ben suai'r mosgitos.

Chysga i byth, meddyliodd, gan roi cic i Alun.

Sut ydw i'n mynd i ddioddef hyn am un deg pedwar diwrnod?

Tua phedwar o'r gloch ar y Pumed Diwrnod roedd y teulu'n swatio'n eu pabell oer, laith a drewllyd yn gwrando ar y gwynt yn rhuo a'r glaw'n llifo.

"Beth am dro bach?" meddai Dad.

"Syniad gwych!" meddai Mam gan disian. "A' i i nôl ein sgidiau ni."

"Syniad gwych!" meddai Alun, gan disian. "A' i i nôl y cotiau glaw."

"Ond mae'n arllwys y glaw," meddai Henri.

"Dim ots," meddai Dad. "Dyna'r union amser i fynd am dro."

"Dw i ddim yn dod," meddai Henri Helynt.

"Dw i'n dod," meddai Alun Angel. "Dw i'n poeni dim am y glaw."

Gwthiodd Dad ei ben allan o'r babell.

"Mae'r glaw wedi stopio," meddai. "Dw i'n mynd i ail-gynnau'r tân."

"Dw i ddim yn dod," meddai Henri.

"Mae eisiau rhagor o goed tân," meddai Dad. "Fe gei di Henri aros fan

hyn a chasglu coed. Gofala ei fod e'n sych."

Gwthiodd Henri ei ben allan o'r babell. Roedd y glaw wedi stopio, ond roedd yr awyr yn gymylog. Poerodd y tân.

Dw i ddim yn mynd, meddyliodd Henri. Bydd y goedwig yn fwdlyd a gwlyb.

Edrychodd o'i gwmpas i weld a oedd 'na goed tân yn nes ato.

Beth welodd e ond pegiau sych braf yn cynnal y pebyll.

Edrychodd Henri i'r chwith.

Edrychodd Henri i'r dde.

Doedd dim sôn am neb.

Os cymera i beg neu ddau o bob pabell, fydd neb yn gwybod, meddyliodd.

Pan ddaeth Mam a Dad yn ôl, roedden nhw wrth eu boddau.

"Dyna dân cynnes braf," meddai Mam.

"Da iawn ti am gael gafael ar bren sych," meddai Dad.

Chwythodd y gwynt.

Breuddwydiodd Henri ei fod e'n nofio mewn afon oer, nofio a nofio a nofio.

Deffrodd. Ysgydwodd ei ben.
Roedd e *yn* nofio. Roedd y babell yn llawn o ddŵr oer, mwdlyd.

Yna fe ddisgynnodd y babell ar eu pennau.

Safodd Henri, Alun, Mam a Dad yn y glaw a syllu ar afon o ddŵr yn rhedeg drwy'r babell oedd yn fflat ar lawr.

O'u cwmpas roedd gwersyllwyr gwlyb yn syllu ar eu pebyll nhw.

Tisiodd Alun.

Tisiodd Mam.

Tisiodd Dad.

Pesychodd Henri, tagu, gwichian a thisian.

"Dw i ddim yn deall," meddai Dad. "Dyw'r babell yma byth yn disgyn."

"Be wnawn ni?" meddai Mam.

"Mae gen i syniad da iawn," meddai Henri Helynt.

Ddwy awr yn ddiweddarach roedd
Mam, Dad, Henri ac Alun yn eistedd
ar wely-soffa mewn pabell mor fawr â
thŷ. Roedden nhw'n bwyta creision ac
yn gwylio'r teledu.

Roedd yr haul yn tywynnu. Roedd
yr awyr yn las.

"Dyma beth yw gwyliau braf!"
meddai Henri.